미니멀 라이프

미니멀 라이프

발　행 | 2024년 1월 15일
저　자 | 박한뫼
펴낸이 | 한건희
펴낸곳 | 주식회사 부크크
출판사등록 | 2014.07.15.(제2014-16호)
주　소 | 서울특별시 금천구 가산디지털1로 119 SK트윈타워 A동 305호
전　화 | 1670-8316
이메일 | info@bookk.co.kr

ISBN | 979-11-410-6636-9

미니멀 라이프

박한뫼

차례

머리말

학창시절부터 시조에 끌림이 있어서, 적지 않은 시조를 암송하기도 했다. 젊은 시절에는 잊고 지내다가 우연히 시조를 습작처럼 지어보았고, 아마추어 시조집(이길, 부크크, 2019)도 냈었다. 이번에 우연히 백일 간의 글을 모아 출판을 해보는 챌린지에 참가할 것을 아내로부터 권고 받고 자의 반, 타의 반으로 참가했다. 매일 시조를 짓는 것이 쉽지 않고 작품에 대한 자기만족도도 그다지 높지 않지만, 그래도 미숙하나마 성장해 가는 자취를 남기는 것도 좋겠다는 생각이 들어 일단 출간을 하기로 했다.

여기 실린 시조들은 일상생활에서 소재를 얻은 것들이 많고, 공적인 문제에 대한 생각을 담은 것도 꽤 있다. 선조들이 남긴 시조에는 격이 미치지 못하지만 그들의 정신을 담은 문학적 그릇으로서의 시조를 흉내 내는 것만으로도 만족을 삼는다. 부족하지만 독자들께서 너그럽게 봐 주시기를 바란다.

2024. 새해
저자 씀

<백일시조: 1>

백일시조

석 달하고 열흘 동안 하루에 한 시조를
비가 오나 눈이 오나 빚고 또 빚다보면
어느 덧 시조집이 탄생하게 되겠지

2023. 9. 23.
백일 시조 쓰기에 도전하며

<백일시조: 2>

가을 달리기

소리천 공릉천 따라 봉일천에 달려가니
강가의 코스모스 함성으로 맞아준다
가을을 달리는 맛은 비할 데가 없구나

2023. 9. 24.
맑은 가을날 달리기를 하다 코스모스 밭을 지나며

<백일시조: 3>

보광사

고령산 보광사 단청 안 한 대웅보전
바쳐진 국화 화분 층계에 즐비하다
그윽한 향기 속에 가신 님을 뵈옵고

2023. 9. 25.
보광사 영각전에 참배를 하고 나서

<백일시조: 4>

가마우지

소리천 가마우지 뱃머리에 올라 앉아
먼 곳을 바라보며 날개 펴고 있는 뜻은
아마도 떠나간 짝을 기다리는 것일까

2023. 9. 25.
소리천 카페 앞 조형물에 앉은 가마우지를 보고

<백일시조: 5>

가을비

비안개 자욱하게 내리는 초가을 비
우산 없이 방향도 없이 하염없이 걸었다
젊을 적 낭만 감성이 아직도 남았는가

2023. 9. 26.
가을비 속을 걸으며

<백일시조: 6>

휴대전화

자나 깨나 부여잡고 눈만 뜨면 쳐다보고
손가락 부지런히 눈과 귀도 쉴 새 없고
제 발로 걸어 들어온 너희는 내 밥이다

2023. 9. 27.
사람들의 삶이 갈수록 휴대전화에 구속되는 것을 보고

cell phone

<백일시조: 7>

추석

어릴 적 추석 땐 가난을 알게 됐고
중년엔 추석이면 외롭다 느꼈는데
이제는 추석 되면 마음속에 가을바람

2023. 9. 28.
추석에 느꼈던 것을 생각하며

<백일시조: 8>

오이도

햇볕 좋은 가을 날 오이도 앞 갯벌 보며
아내 아들 나 셋이 제방길을 걸었다
빠알간 등대 앞에서 추억 하나 새기고

2023. 9. 29.
추석날 오이도 제방길에서 가족 산책을 하고

<백일시조: 9>

야경

해진 후 산책을 나서 개울따라 걷는다
오색간판 불빛이 물결 위에 출렁인다
때마침 둥근 달이 옛 벗인 듯 웃는다

2023. 9. 30.
저녁 먹고 동네 산책을 하며

<백일시조: 10>

가을

소쩍새가 울어야 국화꽃이 핀다더니
지난 여름 흘린 땀이 가을이 되었는가
시원한 산들바람이 처음인 듯 상쾌하다

2023. 10. 1.
가을이 되어 바람의 시원함을 느끼며

autumn

<백일시조: 11>

걷기

어제도 걸었고 오늘도 또 걸었다
내일도 걸으련다 생이 다할 때까지
직립해 걷는 동안은 나는 자유인이다

2023. 10. 2.
매일 걸으면서 자유를 느끼며

<백일시조: 12>

나이(1)

내 입으로 단 한 번도 먹은 적이 없는데
자꾸만 먹었다고 억지를 쓰지 말라
맛없고 떫기만 한 걸 내가 왜 먹겠는가

2023. 10. 3.
나이를 먹는다는 자의식을 거부하며

age

<백일시조: 13>

광고

여기 광고 저기 광고 도처에 광고 홍수
내 돈 시간 뺏으려고 내 인생 뺏으려고
광고야 물러가라 조용히 살고 싶다

2023. 10. 4.
광고의 홍수시대에 살면서

<백일시조: 14>

적어야

뱃속에 음식 적어야 건강하게 살 수 있고
입에는 말 적어야 얽힘 없이 살 수 있고
머리엔 생각 적어야 편하게 살 수 있다

2023. 10.
법정스님의 <시작할 때 그 마음으로> 중에서

<백일시조: 15>

나라꼴

정치꾼 도적들이 나라를 훔쳐 먹고
고관대작 도적들은 끼리끼리 해먹으니
건설업 도적들마저 철근을 빼서 먹네

2023. 10. 6.
나라가 비정상화 되어 위기에 빠진 것을 보고

thief

<백일시조: 16>

평화마라톤

임진각 통일대교 남북으로 달렸는데
아무리 달려도 통일 소식 감감하고
열강들 세력다툼에 앞날이 캄캄하다

2023. 10. 7.
아내와 임진각 평화마라톤에서 달리고

marathon

<백일시조: 17>

가을 하늘

하늘은 늘 있지만 언제나 다른 모습
가을이 되고 나니 저리도 파랗구나
내 마음 활짝 열어 온 하늘을 품는다

> 2023. 10. 8.
> 파란 가을 하늘을 보고

<백일시조: 18>

뽁뽁이

찬바람이 불어서 뽁뽁이를 붙였다
난방비도 아끼고 지구생명 연장하고
사생활 보호하니 이런 것이 일석삼조

2023. 10. 9.
집 유리창에 뽁뽁이(에어 캡)를 붙이고

<백일시조: 19>

메달

흉악한 도적들이 나라를 차지해도
강 건너 불 보듯이 나 몰라라 하면서
메달이 밥 먹여주나 난리를 치는구나

2023. 10. 10.
나랏일에는 무관심하고 스포츠에 열광하는 사람들을
보고

medal

28

<백일시조: 20>

미니멀 라이프

버리고 살겠다고 줄이고 살겠다고
다짐하고 다짐해도 자꾸만 느는 살림
언제나 소유의 멍에 벗어나 살 것인가

2023. 10. 11.
미니멀 라이프를 다짐해도 소유물이 느는 것을 보고

<백일시조: 21>

걷기 앱

걷기 앱 없을 때는 그럭저럭 걸었는데
앱이란 게 나타나서 간섭이 많아졌다
조금만 더 걸어서 만보를 채우라고

2023. 10. 12.
걷기 앱을 사용해 보고

<백일시조: 22>

전쟁 소식

지구촌 여기저기 전쟁소식 끊이잖네
먹느냐 먹히느냐 짐승논리 판을 치고
사람도 별 수 없나 무기 든 짐승일 뿐

2023. 10. 13.
러시아, 이스라엘의 전쟁을 보고

war

<백일시조: 23>

민생고

물가는 올라가고 대출이자 올라가고
수출은 줄어들고 취업하기 별 따기고
아이고 못 살겠다 정치꾼들 뭐하느냐

2023. 10. 14.
갈수록 어려워지는 국민의 삶을 보고

<백일시조: 24>

코스모스

봉일천 공릉천변 하늘하늘 코스모스
분홍 하얀 빨간 색 마음이 꽃잎 되어
바람에 몸을 맡겨 춤을 추고 있구나

2023. 10. 15.
소리천, 공릉천을 따라 달리다 봉일천교 부근 코스모스
밭을 지나며

<백일시조: 25>

가을 편지

올 가을엔 나에게 긴 편지를 쓰리라
유언처럼 단호하게 꾹꾹 눌러 쓰리라
내 남은 인생에게 내 의지를 전하리라

2023. 10. 16.
가을을 맞아 내 인생을 내다보며

letter

<백일시조: 26>

세월

세월이 빠르다고 모두들 말을 하나
보이지 않는 세월 속도가 있을 건가
세월이 가든 말든 나는 잊고 사노라

2023. 10. 17.
세월이 빠르다는 말을 생각하며

<백일시조: 27>

공릉천 뱀

추색이 완연한데 공릉천변 걷노라니
많은 식물 여러 동물 강가에 널려 있다
그 중에 뱀이란 녀석 정신 버쩍 들게 한다

2023. 10. 18.
공릉천변을 걷다가 뱀을 세 마리나 보고

<백일시조: 28>

낙엽

쓸쓸한 가을 거리 터덜터덜 걸으며
지나온 시설들과 남은 시절 생각하니
낙엽이 툭 떨어지며 일침을 가한다

2023. 10. 19.
낙엽이 떨어지는 가을 거리에서

<백일시조: 29>

지하철에서(1)

오늘도 지하철에 몸을 싣고 가는 중
갔다가 돌아올 길 가고 오고 또 가고
내 삶은 가면 그뿐 돌아올 길 없는데

2023. 10. 20.
지하철을 타고 가며

<백일시조: 30>

시조(時調)

지금이 어느 땐데 낡아빠진 시조냐고?
문명기술 휘황하나 정신은 썩은 시대
선조들 기상 그리워 흉내라도 내노라

2023. 10. 21.
정신이 썩은 시대에 선조들의 기상을 그리며

<백일시조: 31>

단풍

여름엔 한 가지로 푸르르던 잎새들이
찬바람에 울긋불긋 제 색깔 드러내네
나도야 가을이면 단풍처럼 살리라

2023. 10. 22.
아름답게 물드는 단풍을 보고

<백일시조: 32>

배봉산

배봉산 올라서서 사방을 둘러보니
건물이 빼곡하고 빈 곳이 거의 없다
저 많은 사람 중에 행복한 이 몇 명일까

2023. 10. 23.
배봉산에 올라서 생각하다

<백일시조: 33>

노을

하루 일을 마치고 하늘을 바라보니
붉은 색 물감으로 수채화를 그린 듯
노을이 아름답게 하루를 마감한다

2023. 10. 24.
귀가하다 붉은 노을을 보고

sunset

<백일시조: 34>

정치꾼

음흉한 정치꾼들 입만 열면 국가 국민
시커먼 속으로는 도적질 패거리질
나에게 힘 있다면 모조리 무찌르리

　　　　　　　　　　　　2023. 10. 25.
　　하나 같이 패악무도한 이 나라 정치꾼들을 보고

<백일시조: 35>

지하철에서(2)

내 앞에 앉은 승객 가도 가도 안 내리네
다리 허리 아파오고 점점 힘이 들다마는
공연히 앞 승객을 원망이야 할 것인가

2023. 10. 26.
지하철에서 긴 구간을 서서 가며

<백일시조: 36>

달력

몇 장이 남지 않은 달력을 바라보며
한 해를 돌아보니 무엇을 하였던고
분주히 살았으나 흔적이 별로 없다

2023. 10. 27.
한 해의 마지막이 다가오는 것을 느끼며

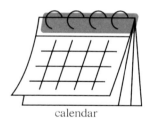

calendar

<백일시조: 37>

시나리오

내 인생의 시나리오 그 누가 작가인가
배경 소품 등장인물 내 소관 아니지만
내 대사 내 연기는 바로 내가 작가다

2023. 10. 28.
주체적으로 살아가기 위하여

<백일시조: 38>

걷기대회

오랜만에 한강변서 십여 리길 걸었다
이제는 기록 순위 아무런 관심 없고
장거리 걸었다는 것만으로 뿌듯하다

2023. 10. 28.
한국국제걷기대회에서 42km를 걷고

<백일시조: 39>

TV 버리기

알아야 할 소식은 하나도 안 전하고
관심을 돌리려고 하염없이 허튼 소리
사악한 선동기계 당장 내다 버렸다

2023. 10. 30.
TV 수상기를 버리고

<백일시조: 40>

십자가

불패라는 아파트에 영혼까지 끌어모아
온 몸을 걸쳐 놓고 쇠못마저 박았는데
고리(高利)에 두 눈에서 피눈물이 흐르네

2023. 10. 31.
부동산 투기 후유증으로 신음하는 사람들을 보고

<백일시조: 41>

단풍 찬가

가을날 찬바람에 속앓이를 하는지
맹렬했던 여름날을 추억으로 거두는지
모른다 나는 다만 단풍이 좋을 뿐

2023. 11. 1.
멋진 단풍에 취해

autumn leaves

<백일시조: 42>

지난 일

괴로운 일이라도 지나가면 과거지사
교훈만 얻어 갖고 나머지는 버려라
지나간 무더위로 땀 흘리면 되겠는가

2023. 11. 2.

지난 일로 고통 받는 사람들을 위하여

<백일시조: 43>

이유

하늘이 파란 이유 낙엽이 지는 이유
사람이 태어나서 마침내 죽는 이유
이유를 묻지 말라 이유는 따로 없다

2023. 11. 3.
삼라만상에 별도의 존재이유가 있는가를 생각하며

question

<백일시조: 44>

스킨답서스

물에다 뿌리내린 사무실 스킨답서스
사철을 답답하게 실내에서 지내면서
저리도 초록빛으로 생명을 내뿜는가

                                    2023. 11. 4.
                    사무실에 있는 수경 스킨답서스를 보고

<백일시조: 45>

나목(裸木)

낙엽이 지는 계절 나는 무얼 떨구나
덕지덕지 쌓인 상념 옹고집 욕심 집착
모조리 떨쳐버리고 나목처럼 살아야지

2023. 11. 5.
낙엽이 진 나목을 보고

<백일시조: 46>

트레드밀

비가 와서 실내에서 트레드밀 달렸는데
시간 여를 달렸지만 한 치도 못나갔네
바람을 맞으면서 달려야 제 맛인데

2023. 11. 6.
실내 체육관에서 트레드밀 운동을 하고

<백일시조: 47>

백세시대

수명이 늘어나서 백세시대 됐다 하나
건강 품격 사라지고 재산마저 없다면
목숨이 길어진 것이 재앙이 아니겠나

2023. 11. 7.
백세시대의 고령화 문제를 생각하며

<백일시조: 48>

갈대

늦가을 갈대들이 백발을 드리우고
자꾸만 내면으로 가을을 사유한다
찬바람 불어와도 온몸이 여위도록

2023. 11. 8.
공릉천변 갈대 밭길을 걸으며

reeds

<백일시조: 49>

계단

오르막 계단길은 숨차고 힘들지만
하나하나 오르면 못 오를 계단 없다
더구나 몸에 좋다니 보는 대로 오르리

2023. 11. 9.
계단 오르기를 생활화하기로 마음먹으며

<백일시조: 50>

무도(無道)

국내에는 도적떼가 해외에는 전쟁광이
민생에는 관심 없고 권력다툼 뿐이니
세상이 무도하여 짐승 우리 같구나

2023. 11. 10.
국내외 전쟁, 혼란과 권력암투 상황을 보고

<백일시조: 51>

배역

어린 배역 청년 배역 그럭저럭 소화하고
중장년 배역도 나름대로 해냈는데
이제는 노년 배역 차례가 되었구나

2023. 11. 11.
인생의 단계마다 맡은 역할을 생각하면서

old man

<백일시조: 52>

대봉감

내 식탁에 끌려 온 먹음직한 대봉감들
햇살과 비바람에 우람하게 자랐구나
맛있게 먹으려 하니 미안한 마음 든다

2023. 11. 12.
식탁에 있는 대봉감을 보고

<백일시조: 53>

수영장

날이 추워 오랜만에 수영하러 갔었는데
그곳에도 나이든 사람들이 대부분
젊은 이 드문 나라 망할 일만 남았는가

2023. 11. 11.
수영장에 젊은이가 드문 것을 보고

swim

<백일시조: 54>

찬물 씻기

삼년째 겨울에도 찬물 씻기 하고 있다
에너지 절약하여 지구환경 보호하니
감기는 멀어지고 기분 또한 상쾌하다

2023. 11. 13.
3년째 찬물 씻기를 하면서

<백일시조: 55>

나이(2)

한 노인이 지하철서 일반좌석 오더니만
앉아 있는 청년에게 자리양보 강요한다
나이가 벼슬인가 저러지는 말아야지

2023. 11. 14.
지하철에서 자리양보를 강요하는 노인을 보고

<백일시조: 56>

요지경

도적질한 권력으로 뻔뻔하게 거들먹
위조스펙 가짜 학력 피해자 코스프레
제 정신 가지고는 살 수 없는 요지경

2023. 11. 16.
상식이 실종된 세상을 보고

<백일시조: 57>

계절

가을이 지나가고 찬 겨울이 찾아오네
겨울이 다하면 어김없이 봄이 오고
봄 여름 겪고 나면 또 다시 가을 오고

2023. 11. 17.
계절의 변화를 느끼며

<백일시조: 58>

빛 망국

나라도 훔치는데 우리라고 못할소냐
갚을 일 생각 말고 무작정 빌리고 보자
이러한 나라 가정 안 망한 경우 없다

2023. 11. 18.
부정조작과 가계부채로 나라가 망해가는 것을 보고

debt

<백일시조: 59>

손기정 마라톤

손기정 마라톤에 참가한 사람들아
나라 뺏긴 서러움을 이 시대에 되새겨
나라를 도적질한 역도들을 몰아내자

2023. 11. 19.

손기정 평화마라톤에서 많은 사람들과 함께 달리고

<백일시조: 60>

법 망나니

법 배워서 법복 입고 법대에 올라 앉아
법과 원칙 짓뭉개고 불법권력 시녀질
망나니 따로 있나 저것들이 망나니지

2023. 11. 19.
법과 원칙을 짓뭉개는 판사들을 보고

trial

<백일시조: 61>

청구서

한 번도 안 거르고 사냥감을 쫓듯이
집요하게 따라와서 멱살을 잡는구나
살아선 못 피하는 필생의 생존증명서

2023. 11. 21.
날아드는 청구서를 보고

bill

<백일시조: 62>

원망

인생이 괴롭다고 하늘을 원망마라
하늘이 어디 있어 그 원망 들어주랴
스스로 만든 인생 자신을 원망하라

2022. 11. 21.
하늘 탓을 하는 사람들을 보고

71

<백일시조: 63>

소식(小食)

기름지게 과식하면 비만하여 병 걸리고
소박하게 소식하면 날씬하고 건강하다
이치가 이러하니 어찌 과식 하겠는가

2023. 11. 22.
건강한 식생활을 위하여

weight

<백일시조: 64>

하차감

승차감은 있지만 하차감은 처음 듣네
비싼 차서 내리면서 뽐내는 기분이래
텅 빈 골 드러내 놓고 으스대는 그 기분

2023. 11. 23.
우리나라에서 하차감 때문에 경차판매가 적다는 말을
듣고

luxurious

<백일시조: 65>

　　　　　　　　　위선

다이어트 한다면서 틈만 나면 탕후루
근검절약 한다면서 수시로 명품쇼핑
국민을 위한다면서 도적질 패거리질

　　　　　　　　　　　2023. 11. 24.
　　　　　　　　사람들의 위선적인 행태를 보고

<백일시조: 66>

월악영봉

가을이 깊었는데 충주호 돌아나니
저 멀리 월악영봉 누워 있는 여인 머리
겨울이 오기 전에 그린 님을 만나기를

2023. 11. 25.
충주호를 둘러보다 멀리 월악영봉을 바라보고

<백일시조: 67>

공기업

공공재 빙자하여 공공연히 부실경영
끝 모를 적자에도 고액연봉 방만경영
혈세로 잔치하며 무책임한 오만경영

2023. 11. 26.
막대한 누적적자에도 무책임한 공기업들을 보고

management

<백일시조: 68>

충성

사람 충성 안 한대서 대단한 줄 알았는데
알고 보니 장물권력 나눠먹은 도적이네
차라리 사람에게 충성함이 훨씬 낫다

2023. 11. 26.
위선적인 권력배를 보고

<백일시조: 69>

떸이

늦은 시간 장에 가니 떡사라고 호객한다
반의 반 값이라니 주섬주섬 몇 개 샀다
싸다고 홀린 듯이 사는 버릇 못 버리고

2023. 11. 27.
떸이 떡을 사고 나서

<백일시조: 70>

추위

영하십도 추위라고 난리가 난듯하나
어렸을 적 교실에선 손발이 얼었었고
군복무 시절에는 손발동상 예사였지

2023. 11. 29.
과거의 추위를 떠올리며

cold

<백일시조: 71>

인생길(1)

인생은 길이라 했나 긴 길을 걸어왔다
산 넘고 물 건너고 능선 타고 들판 질러
걸으며 살아온 인생 걸으며 마치리라

2023. 12. 1.
걷기하며 살아온 것을 생각하며

<백일시조: 72>

어느 죽음

승적의혹 은처의혹 패거리질 권승이
수행처에 불 질러서 자살인지 타살인지
그보다 놀라운 건 소신공양 운운 작태

2023. 12. 2.
한 권승의 죽음을 보고

<백일시조: 73>

마음

보이지 않는 것이 만질 수도 없는 것이
조석으로 바뀌면서 사람을 요리조리
마음을 잡기만 하면 붙잡아 매두련만

2023. 12. 3.
수시로 변하는 마음을 생각하며

meditation

<백일시조: 74>

인구감소

정치판은 도적들이 끼리끼리 해쳐먹고
경제판은 투기꾼들 투전판이 되었구나
희망이 사라진 곳 사람도 사라지네

2023. 12. 4.
인구감소 현상을 보고

decrease

<백일시조: 75>

떠날 때

찬바람 불어오니 철새들이 부산하다
떠날 때를 알아보고 날아가는 철새들
떠날 때 모른다면 철새만도 못한 사람

> 2023. 12. 5.
> 철새들이 날아가는 것을 보고

<백일시조: 76>

세계최고

자살률 세계 일위 인구감소 세계 최고
가계부채 세계 일등 노령화 속도 최고
이러고 안 망하면 기적이 따로 없다

2023. 12. 6.
나라가 위태로운 것을 보고

<백일시조: 77>

두어라

물건은 오랠수록 보물취급 받는데
사람은 오래되면 퇴물취급 받는구나
두어라 뭐라 하든 내 뜻대로 살다가리

2023. 12. 6.
내 뜻대로 살기로 마음먹으며

old age

<백일시조: 78>

자기처벌

수행자 탈을 쓰고 탐욕 속을 헤매면서
은처질 권력질 안 한 짓이 없더니만
스스로 불을 질러 화탕지옥 들어갔나

2023. 12. 7.
어느 중의 죽음을 보고

<백일시조: 79>

인생길(2)

혼자서 태어나서 혼자서 떠나가는
인생길은 각자의 길 자기 발로 가는 길
마지막 순간까지 고독하게 걷는 길

2013. 12. 8.
인생길을 생각하며

<백일시조: 80>

동기(同期)

불법으로 권력 잡아 으스대는 자도 있고
그 자의 앞잡이 된 사법 행정 떨거지들
저들과 동문수학한 사실이 부끄럽다

2023. 12. 10.
불법이 노골적으로 횡행하는 것을 보고

<백일시조: 81>

베풀어야

죽도록 모으기하며 죽어가는 사람들아
죽을 때 못 가져가고 가치 없이 사라진다
살아서 베풀어야 나도 남도 행복하다

2023. 12. 11.
베풀며 살 것을 생각하며

donation

<백일시조: 82>

투기민국

땅 가지고 투기하고 집 가지고 투기하고
주식이건 코인이건 닥치는 대로 투기하네
일 않고 천금 노리는 도박민국 투기민국

2023. 12. 12.
나라가 빚과 투기로 멍든 것을 보고

<백일시조: 83>

마샤

종교 탈 쓴 야수들이 사람 목숨 앗아가네
도대체 언제가야 종교 야만 그만두나
두건이 목숨보다 소중하단 말이냐

2023. 12. 13.
두건 때문에 죽임을 당한 이란의 마샤 야미니에게
사하로프 상이 추서되다

hijab

<백일시조: 84>

언제까지

하늘이 알고 있고 땅도 아는 사실을
사악한 것들이 시침 떼고 쉬쉬하네
너희들 언제까지 버티나 한 번 보자

2023. 12. 15.
도적질을 쉬쉬하고 넘어가려는 정치권을 보고

<백일시조: 85>

온난화

지구가 더워져서 물난리 불난린데
그래도 안 멈추고 욕심대로 사는구나
금명간 공룡처럼 멸종되고 말 것이다

2023. 12. 15.
지구온난화에 따른 재앙들을 보고

<백일시조: 86>

가짜뉴스

하늘에 신이 있어 세상을 관장하면
어찌하여 악당들이 득세한단 말이냐
허망한 가짜뉴스 언제까지 횡행하나

2023. 12. 16.
자신들의 책임을 신에게 떠넘기는 사람들을 보고

<백일시조: 87>

엄동설한

기온이 떨어지고 찬바람이 거세구나
양지쪽에 웅크린 길고양이 춥겠구나
난방도 하기 힘든 사람들은 어찌하나

2023. 12. 17.
동장군이 찾아오니 걱정을 하며

<백일시조: 88>

은퇴 소감

은퇴를 앞둔 지금 마음 마음이 두 갈래길
제이의 인생을 펼쳐나갈 꿈 한켠에
인구가 줄어들어 쇠퇴하는 나라 걱정

2023. 12. 17.
정년퇴직을 앞 둔 심경

<백일시조: 89>

걱정

인생에 넘치는 것 걱정과 근심이라
몸부림 친다고 달라질 일 있겠는가
놓아라 아무 일 없다 될 대로 될 뿐이다

2023. 12. 18.
걱정을 되풀이하는 우리의 모습을 생각하며

worry

<백일시조: 90>

밝게 펴고

생각이 굽었는데 표정이 펴질 리가
마음이 어두운 데 안색이 밝을 리가
어차피 한 번 세상 밝게 펴고 살아가리

2023. 12. 19.
밝고 바른 삶을 위하여

<백일시조: 91>

도둑 주권

국민 주권 헌법 조항 있으면 무슨 소용
불법조작 역도들이 나라를 차지하여
장물을 나눠 먹듯 끼리끼리 해먹는데

2023. 12. 20.
불법이 횡행하는 나라꼴을 보고

100

<백일시조: 92>

동지

살갗을 에는 듯한 맹추위가 연일 기승
동파 걱정 자식 걱정 마음까지 얼지만
그래도 내일부터 낮이 점점 길어진다

2023. 12. 22.
한파가 닥친 동지를 보내며

<백일시조: 93>

빚투족

욕심에 사로잡혀 빚으로 투기하여
떼돈을 벌려다가 망해가는 사람들
모닥불 가운데로 날아드는 부나방

2023. 12. 23.
빚으로 투기하다 망해가는 사람들을 보고

<백일시조: 94>

성탄절((聖歎節))

성현 생일 빙자하여 놀고먹는 사람들
종교를 빙자하여 대목 노린 종교꾼들
성현이 보았다면 장탄식(長歎息)할 성탄절

2023. 12. 24.
변질되고 상업화된 성탄절을 보며

christmas

<백일시조: 95>

전망대

고봉산 전망대에 올라가서 굽어보니
연기인지 안개인지 자욱한 저 아래에
사람들 희노애락이 뒤섞인 속세 있네

2023. 12. 25.
성탄절에 고봉산 전망대에 올라

<백일시조: 96>

오늘

하나 뿐인 보물을 애지중지 하듯이
하루뿐인 오늘을 소중하게 보내자
하룬들 그럭저럭 보내서야 되겠는가

2023. 12. 26.
하루의 소중함을 생각하며

today

<백일시조: 97>

무관심

일제가 강점하던 비참한 시절에도
군인들이 독재하던 엄혹한 시절에도
도적들 횡행하는 무법천지 시대에도

2023. 12. 27.
나라에 무관심한 사람들을 보고

<백일시조: 98>

새해

새해라고 특별히 달라질 일 있을까만
불법권력 청산하고 새 나라 되기만을
그래서 앞날에는 정의 희망 넘치기를

2023. 12. 28.
새해에 바라는 일

<백일시조: 99>

일출

이번에는 새해 일출 어디서 맞이할까
동해안 아니라도 동네 뒷산 어디라도
오르는 해를 보며 평화 정의 기원하리

2023. 12. 29.
평화와 정의가 있는 새해를 기원하며

sunrise

<백일시조: 100>

마무리

드디어 백일시조 마무리편 차례구나
처음엔 끝이 없는 머나먼 길이더니
한걸음 한걸음씩 여기까지 왔구나

2023. 12. 30.
백일시조를 마무리하며